Petits déjeuners

Petits déjeuners

Bath · New York · Singapore · Hong Kong · Cologne · Delhi · Melbourne

Parragon Books Ltd
Queen Street House
4 Queen Street
Bath BA1 1HE
Royaume-Uni

Copyright © 2008 pour l'édition française
Réalisation : Belle page, Boulogne
Traduction de l'anglais : Hélène Nicolas

Conception graphique : Mark Cavanagh
Photographies : Günter Beer et Mike Cooper
Introduction : Bridget Jones

ISBN : 978-1-4075-4186-0
Imprimé en Chine

Notes au lecteur

• Les mesures en cuillerées s'entendent rases. Une cuillerée à café équivaut
à 5 ml et une cuillerée à soupe à 15 ml.
• Sauf spécification contraire, le lait utilisé est écrémé, les œufs sont de taille
moyenne.
• Les recettes à base d'œuf cru sont déconseillées aux enfants, aux femmes enceintes,
aux personnes âgées, aux malades, ainsi qu'aux convalescents.
• Les temps de préparation indiqués sont approximatifs et peuvent différer
en fonction des méthodes individuelles utilisées.

Sommaire

Introduction

Prendre un petit déjeuner vous apportera un regain de vitalité en réveillant votre organisme et en lui fournissant l'énergie et les nutriments nécessaires pour rester en forme jusqu'au soir.

Au réveil, le corps a fini de digérer les repas de la veille. De nombreuses personnes sont irritables et ont mauvaise mine car leur taux de sucre dans le sang a chuté pendant la nuit. Manger et boire dès le matin est indispensable pour rétablir ce dernier et réhydrater l'organisme.

À chacun son menu

Dans l'idéal, chacun devrait commencer la journée par un petit déjeuner appétissant, simple et rapide à préparer. Le menu sera différent pour un célibataire, un couple, des parents, des enfants ou des adolescents. Optez pour la simplicité et la rapidité en semaine et profitez des week-ends pour varier les menus et savourer des petits déjeuners plus copieux, que ce soit en famille ou en compagnie d'amis. À partir d'un certain âge, les enfants peuvent préparer eux-mêmes leurs petits déjeuners.

Le choix des aliments

La meilleure formule consiste à associer une source de sucre rapide, qui donne un « coup de fouet » à l'organisme (par exemple un grand verre de jus de fruits) et des aliments qui libèrent de l'énergie lentement, pour tenir jusqu'au déjeuner.

• La plupart des aliments consommés le matin, comme les céréales, les fruits ou le pain grillé, sont à la fois très énergétiques et très faciles à préparer.

• Un bon petit déjeuner doit contenir des glucides complexes (féculents plutôt qu'aliments sucrés), qui fournissent de l'énergie pendant plusieurs heures. Chaque aliment est doté d'un indice glycémique (IG) allant de 0 à 100. L'IG permet de classer les aliments riches

en glucides en fonction de leurs effets sur le taux de glucose sanguin. Plus l'indice glycémique est élevé, plus l'aliment est absorbé rapidement. Plus il est bas, plus l'aliment libère de l'énergie lentement, ce qui permet d'éviter les fringales et les baisses de tonus.

• Les aliments riches en fibres et peu sucrés fournissent de l'énergie pendant quelques heures. Les céréales complètes et les flocons d'avoine ont un indice glycémique bas. Les tortillas, les croissants et le pain complet un indice glycémique moyen et les pommes, les poires, les pamplemousses, les oranges, le raisin, les fruits rouges et les bananes un indice glycémique bas, à condition qu'ils ne soient pas trop mûrs. Les matières grasses, les protéines et le mélange d'aliments à indices glycémiques bas et élevés permettent d'étaler dans le temps l'apport en énergie. Vous pouvez par exemple déguster des œufs pochés avec des toasts, des tomates et des champignons et terminer par un fruit ou opter pour un muesli maison, riche en bonnes graisses et en protéines (grâce aux noix), ainsi qu'en minéraux et en vitamines (grâce aux fruits).

Vive la variété !

Le petit déjeuner permet de nombreuses variantes, salées ou sucrées, légères ou consistantes.

N'hésitez pas à varier les menus. Si vous êtes pressé, mixer et boire une boisson revitalisante ne vous prendra qu'un instant (voire moins, si vous la préparez à l'avance et la conservez aux frais).

Un moment privilégié

Préparez un petit déjeuner inoubliable lorsque vous recevez des amis ou de la famille. Les idées ne manquent pas : des œufs brouillés au saumon fumé à l'omelette aux crevettes, en passant par des croissants chauds nappés de confiture maison.

À votre santé !

Pour 2 personnes

3 gros pamplemousses
Sweetie ou tangelos mûrs

170 ml d'eau gazeuse

1 cuil. à soupe de miel
liquide (facultatif)

quelques rondelles de citron
vert ou de kiwi pelé

2 cuil. à soupe de yaourt

Réveil tonique

Couper en deux les pamplemousses. Les presser et verser le jus dans deux verres.

Ajouter l'eau gazeuse et éventuellement le miel.

Servir après avoir posé sur chaque jus de fruit une ou deux rondelles de citron vert ou de kiwi recouvertes d'une cuillerée de yaourt.

Pour 2 personnes

250 ml de jus de carotte

4 tomates pelées, épépinées
et grossièrement hachées

1 cuil. à soupe
de jus de citron

20 g de persil frais

1 cuil. à soupe
de gingembre frais râpé

glace pilée

125 ml d'eau

persil frais haché
pour décorer

Cocktail énergétique à la carotte et au gingembre

Mettre le jus de carotte, les tomates hachées et le jus de citron dans le bol d'un robot culinaire et mixer lentement pour les mélanger.

Ajouter le persil, le gingembre et les glaçons. Mixer. Ajouter l'eau et continuer à mixer jusqu'à obtention d'un mélange lisse.

Verser dans deux verres, ajouter la glace pilée, garnir de feuilles de persil frais hachées et servir immédiatement.

Pour 2 personnes

250 ml de jus de carotte

250 ml de jus de tomate

2 gros poivrons rouges
épépinés et grossièrement
hachés

1 cuil. à soupe de jus
de citron

poivre noir
fraîchement moulu

Boisson énergétique à la carotte et au poivron rouge

Verser le jus de carotte et le jus de tomate dans le bol d'un robot culinaire et mixer lentement pour les mélanger.

Ajouter le poivron rouge et le jus de citron. Assaisonner avec le poivre noir et mixer jusqu'à obtention d'un mélange homogène.

Servir dans des verres hauts, avec des pailles.

Pour 2 personnes

2 grosses poires juteuses
jus de 4 oranges
4 cubes de gingembre confit

Jus de poire et d'orange au gingembre

Peler les poires, les couper en quatre et ôter leurs cœurs.
Mettre les morceaux de poire, le jus d'orange et le gingembre
confit dans le bol d'un robot culinaire et mixer jusqu'à obtention
d'un mélange lisse.

Servir dans des verres.

Pour 2 personnes

1 tranche de pastèque
d'environ 350 g

glaçons

1 ou 2 brins de menthe
pour la décoration

Cocktail rafraîchissant à la pastèque

Couper et ôter la peau de la pastèque. Hacher grossièrement la chair en jetant les graines.

Mettre les morceaux de pastèque dans le bol d'un robot culinaire et mixer jusqu'à obtention d'un mélange lisse.

Répartir les glaçons dans deux verres. Arroser de jus de pastèque et servir garni de feuilles de menthe.

Pour 2 à 3 personnes

150 g d'amandes entières
émondées

625 ml de lait

2 bananes mûres
coupées en deux

1 cuil. à café d'extrait
de vanille

cannelle moulue
pour la décoration

Smoothie à l'amande et à la banane

Mettre les amandes dans le bol d'un robot culinaire et mixer pour les hacher finement.

Ajouter le lait, les bananes et l'extrait de vanille, et mixer jusqu'à obtention d'un mélange lisse et crémeux. Verser dans des verres et saupoudrer de cannelle.

Pour 1 personne

1 banane en rondelles

80 g de fraises fraîches
équeutées

170 g de yaourt nature

Smoothie fraise banane

Mettre les rondelles de banane, les fraises et le yaourt
dans le bol d'un robot culinaire et mixer quelques secondes
jusqu'à obtention d'un mélange lisse.

Verser dans un verre et servir immédiatement.

Pour 1 personne

20 g de myrtilles

50 g de framboises
(dégelées si surgelées)

1 cuil. à café de miel

250 ml de yaourt nature

1 cuil. à soupe bombée
de glace pilée

1 cuil. à soupe de graines
de sésame

Smoothie aux fruits rouges

Mettre les myrtilles dans le bol d'un robot culinaire et les mixer pendant 1 minute.

Ajouter les framboises, le miel et le yaourt et mixer 1 minute de plus.

Ajouter la glace pilée et les graines de sésame et mixer encore 1 minute.

Verser dans un verre haut et servir immédiatement.

Pour 2 personnes

250 ml de jus d'orange

125 ml de yaourt nature

2 œufs

2 bananes coupées
en rondelles et surgelées

rondelles de banane fraîche
pour décorer

Smoothie du matin

Verser le jus d'orange et le yaourt dans le bol d'un robot culinaire et mixer lentement pour les mélanger.

Ajouter les œufs et les rondelles de banane surgelées et mixer jusqu'à obtention d'un mélange lisse.

Verser dans des verres et décorer chaque verre avec une rondelle de banane fraîche.

Pour 2 personnes

2 bananes mûres

2 cuil. à soupe
de crème aigre

125 ml de lait

2 cuil. à soupe de miel clair
+ un peu de miel
pour la décoration

½ cuil. à café d'extrait
de vanille

Milk-shake à la banane

Mettre les bananes, la crème aigre, le lait, le miel
et l'extrait de vanille dans le bol d'un robot culinaire et mixer
jusqu'à obtention d'un mélange lisse.

Verser dans des verres, décorer avec une spirale de miel et servir
immédiatement.

Le plein
de vitamines

Pour 4 personnes

80 g de pêches déshydratées

80 g d'abricots secs

50 g de morceaux d'ananas
déshydraté

50 g de mangue déshydratée
en tranches

250 ml de jus de pomme
non sucré

4 cuil. à soupe de yaourt
nature (facultatif)

Salade de fruits secs

Mettre les fruits déshydratés dans une petite casserole
avec le jus de pomme. Porter doucement à ébullition.
Baisser le feu, couvrir et laisser mijoter 10 minutes.

Répartir les fruits dans quatre coupelles. Ajouter
éventuellement une cuillerée de yaourt. Servir immédiatement.

Pour 4 personnes

1 pamplemousse rose

1 pamplemousse blanc

3 oranges

Salade d'agrumes

Éplucher les pamplemousses et les oranges et éliminer soigneusement la peau blanche restante à l'aide d'un couteau tranchant.

Peler à vif les quartiers de pamplemousse et d'orange, au-dessus d'un saladier pour récupérer le jus des fruits. Jeter tous les pépins.

Ajouter les quartiers d'agrumes dans le saladier et mélanger délicatement. Couvrir et conserver au frais jusqu'au moment de servir ou servir immédiatement, dans des coupelles individuelles.

Pour 4 personnes

1 petit melon charentais,
cantaloup ou Galia

2 kiwis

Coupelle de kiwi et de melon

Couper le melon en quatre et ôter ses pépins. Couper la chair du melon en morceaux avec un couteau et une fourchette ou faire des billes de melon avec une cuillère à melon. Mettre les morceaux (ou les billes) dans un saladier.

Peler les kiwis et les couper en rondelles. Ajouter les kiwis au melon et mélanger délicatement. Couvrir et conserver au frais jusqu'au moment de servir, ou répartir dans deux coupelles et servir immédiatement.

Pour 4 personnes

3 cuil. à soupe de miel

100 g de noix mélangées
non salées

8 cuil. à soupe
de yaourt nature

130 g de myrtilles fraîches

Yaourt au miel, aux noix et aux myrtilles

Faire chauffer le miel à feu moyen dans une petite casserole.
Ajouter les noix et remuer pour les enduire de miel.
Ôter la casserole du feu et laisser refroidir légèrement.

Répartir le yaourt dans quatre coupelles. Avec une cuillère,
ajouter les noix puis les myrtilles.

Pour 4 personnes

100 g de gros flocons
d'avoine

190 ml de jus de pomme

1 pomme rouge épépinée

1 cuil. à soupe
de jus de citron

25 g de noisettes grillées
hachées

½ cuil. à café
de cannelle moulue

125 ml de yaourt nature

2 cuil. à soupe de miel
liquide (facultatif)

70 g de myrtilles fraîches

Muesli aux myrtilles

Mettre les flocons d'avoine et le jus de pomme
dans un saladier. Couvrir avec du film alimentaire et laisser
reposer au réfrigérateur pendant au moins une heure
voire toute une nuit. Râper la pomme et l'arroser avec le jus
de citron pour éviter qu'elle ne s'oxyde.

Ajouter la pomme râpée, les noisettes et la cannelle aux flocons
d'avoine et mélanger soigneusement.

Répartir le muesli dans des bols. Ajouter le yaourt
et éventuellement le miel. Ajouter les myrtilles et servir.

Pour 4 personnes

Muesli

10 g de flocons d'avoine

5 g de graines de sésame

1 pincée de gingembre moulu

5 g de graines de tournesol

2 cuil. à café de jus d'orange
fraîchement pressé

1 cuil. à soupe
de miel liquide

Salade de fruits

300 g de pastèque épépinée
et coupée en morceaux

100 g de quartiers d'orange

6 cuil. à soupe
de jus d'orange
fraîchement pressé

1 cuil. à café
de zeste d'orange
finement râpé

1 cuil. à café
de gingembre pelé
coupé en fines tranches

1 cuil. à café de miel liquide

½ cuil. à café
de fécule d'arrow-root
(ou de maïs) diluée
avec un peu d'eau froide

Salade de pastèque à l'orange et au gingembre parsemée de muesli

Préchauffer le four à 180 °C (th. 6).

Pour le muesli, mettre tous les ingrédients secs dans un saladier, ajouter le jus d'orange et le miel et mélanger soigneusement. Étaler la préparation sur une plaque de cuisson antiadhésive et enfourner 7 à 8 minutes. Casser la plaque de muesli en morceaux à l'aide d'un maillet et remettre au four 7 à 8 minutes. Sortir du four, casser de nouveau le muesli et laisser refroidir. En refroidissant, la préparation va devenir croustillante.

Pour la salade de fruits, mettre dans un saladier les morceaux de pastèque et les quartiers d'orange. Mettre dans une petite casserole le jus et le zeste d'orange, le gingembre et le miel. Chauffer à feu moyen jusqu'à ébullition. Incorporer progressivement la fécule d'arrow-root et faire cuire sans cesser de remuer jusqu'à ce que le mélange épaississe.

Verser la préparation sur les fruits et laisser refroidir. Couvrir et conserver au réfrigérateur. Répartir les fruits dans des coupelles et parsemer de muesli.

Pour 4 personnes

12 gros champignons
Portobello nettoyés
et équeutés

2 cuil. à soupe d'huile
de maïs + un peu d'huile
pour le plat

1 bulbe de fenouil préparé
et finement haché

100 g de tomates séchées
finement hachées

2 gousses d'ail écrasées

125 g de fontine râpée

50 g de parmesan
fraîchement râpé
+ copeaux de parmesan frais

3 cuil. à soupe
de basilic frais haché

sel et poivre

1 cuil. à soupe d'huile d'olive
vierge extra

1 cuil. à soupe
de persil frais haché

Champignon farci au parmesan

Préchauffer le four à 180 °C (th. 6).

Huiler légèrement un grand plat allant au four. Disposer 8 champignons à l'envers (sur leurs chapeaux) dans le plat et hacher finement les 4 autres.

Faire chauffer l'huile de maïs dans une poêle antiadhésive. Ajouter les champignons hachés, le fenouil, les tomates et l'ail et faire cuire à feu doux jusqu'à ce que les légumes soient tendres, sans les laisser brunir. Ôter du feu et laisser refroidir.

Une fois la préparation froide, ajouter la fontine et le parmesan râpés, le basilic et assaisonner avec le sel et le poivre. Bien mélanger. Huiler légèrement les champignons et les garnir de farce aux légumes. Faire cuire 20 à 25 minutes ou jusqu'à ce que les champignons soient tendres et la garniture bien cuite.

Décorer avec les copeaux de parmesan et le persil et servir immédiatement, en disposant 2 champignons dans chaque assiette.

Pour 4 personnes

300 g d'asperges

1 cuil. à soupe de vinaigre
de vin blanc

4 gros œufs

85 g de parmesan

poivre

Œufs pochés aux asperges et au parmesan

Porter une casserole d'eau à ébullition. Ajouter les asperges et faire mijoter 5 minutes ou jusqu'à ce que les asperges soient juste tendres.

Pendant que les asperges cuisent, pocher les œufs. Pour cela, faire bouillir une poêle d'eau, baisser le feu et ajouter le vinaigre. Attendre que l'eau soit juste frémissante et casser délicatement les œufs dans la poêle. Laisser cuire 3 minutes ou jusqu'à ce que les blancs soient fermes mais les jaunes encore mollets.

Égoutter les asperges et les répartir dans quatre assiettes chaudes. Déposer un œuf poché dans chaque assiette. Parsemer de copeaux de fromage. Poivrer et servir immédiatement.

Pour 4 personnes

225 g de brocoli

1 cuil. à soupe de vinaigre
de vin blanc

4 œufs

225 g de saumon fumé

Sauce

160 g de fromage frais maigre

1 à 1½ cuil. à café
de moutarde de Dijon

2 cuil. à café de ciboulette
fraîche hachée

En accompagnement

pain complet

Saumon fumé, œufs pochés et brocoli

Détacher les fleurettes des brocolis et les faire cuire
dans de l'eau bouillante 5 à 6 minutes
ou jusqu'à ce qu'elles soient tendres. Égoutter et réserver
au chaud.

Pour pocher les œufs, remplir une poêle profonde aux trois-
quarts d'eau et porter à ébullition. Baisser le feu et ajouter
le vinaigre. Attendre que l'eau soit juste frémissante et casser
délicatement les œufs dans la poêle. Laisser cuire 3 minutes
ou jusqu'à ce que les blancs soient fermes mais les jaunes
encore tendres.

Pendant ce temps, répartir le saumon fumé dans 4 assiettes
et mélanger les ingrédients de la sauce.

Répartir les fleurettes des brocolis dans les assiettes.
Ajouter les œufs pochés, une cuillerée à soupe de sauce
et servir avec du pain complet.

Pour 4 personnes

1 cuil. à soupe d'huile d'olive
vierge extra

3 échalotes finement hachées

500 g de jeunes feuilles
d'épinards

4 cuil. à soupe
de crème fraîche légère

2 pincées de noix muscade
fraîchement râpée

poivre

4 gros œufs

4 cuil. à soupe de parmesan
finement râpé

Œufs au four aux épinards

Préchauffer le four à 200 °C (th. 7). Verser l'huile
dans une poêle et faire chauffer à feu moyen. Ajouter
les échalotes et les faire cuire en remuant fréquemment
4 à 5 minutes ou jusqu'à ce qu'elles soient tendres.
Ajouter les épinards. Couvrir et laisser cuire 2 à 3 minutes
ou jusqu'à ce que les épinards flétrissent. Ôter le couvercle
et laisser cuire jusqu'à complète évaporation du liquide.

Ajouter la crème et assaisonner à sa convenance
avec la noix muscade et le poivre. Répartir les épinards
à la crème dans quatre plats à gratiner individuels et former
un puits au centre de chaque plat avec le dos d'une cuillère.

Casser un œuf dans chaque puits et parsemer de fromage.
Enfourner 10 à 12 minutes ou jusqu'à ce que les œufs soient
cuits. Servir immédiatement.

Quel festin !

Pour 4 personnes

1 cuil. à soupe de vinaigre
de vin blanc

4 œufs

4 muffins

4 tranches de jambon
de qualité supérieure

Sauce hollandaise

3 jaunes d'œufs

200 g de beurre

1 cuil. à soupe de jus
de citron

poivre

Œufs Bénédicte à la sauce hollandaise

Pour pocher les œufs, remplir aux trois quarts d'eau une grande casserole. Faire chauffer à feu doux jusqu'à ébullition. Baisser le feu et ajouter le vinaigre. Attendre que l'eau frémisse et casser délicatement les œufs dedans. Laisser cuire 3 minutes ou jusqu'à ce que les blancs soient fermes mais les jaunes encore mollets.

Pendant ce temps, pour la sauce, mettre les jaunes d'œufs dans le bol d'un robot culinaire. Faire fondre le beurre dans une petite casserole. Mettre le robot en marche et verser progressivement le beurre fondu sur les jaunes d'œufs jusqu'à obtention d'une sauce épaisse et crémeuse. Ajouter le jus de citron et un peu d'eau chaude si la sauce est trop épaisse. Poivrer. Verser dans un bol et garder au chaud.

Couper les muffins en deux et les faire griller de chaque côté. Servir dans chaque assiette deux moitiés de muffin couvertes d'une tranche de jambon, d'un œuf poché et d'une cuillerée à soupe de sauce hollandaise.

Pour 2 personnes

300 g de champignons
de Paris

15 g de beurre

1 cuil. à soupe
d'huile de tournesol

sel et poivre

1 petit piment rouge épépiné
et finement haché

1 cuil. à soupe de crème aigre

2 cuil. à soupe de persil
frais haché

1 cuil. à soupe de romarin
frais haché

tranches de pain de mie
grillées

huile d'olive vierge extra

1 poignée de feuilles
de roquette

Champignons au romarin, au piment et à la crème accompagnés de roquette

Essuyer les champignons avec un torchon humide et les couper
en tranches fines.

Faire chauffer le beurre et l'huile de tournesol dans une grande
poêle.
Ajouter les champignons et remuer pour les huiler
de chaque côté. Saler et poivrer légèrement et ajouter le piment
haché. Couvrir, laisser cuire 1 à 2 minutes
ou jusqu'à ce que les champignons soient tendres puis ajouter
la crème aigre. Parsemer de persil et de romarin hachés.

Répartir les champignons sur des tranches de pain grillées.
Arroser d'un filet d'huile d'olive et servir avec quelques feuilles
de roquette.

Pour 2 personnes

4 œufs

35 ml de crème fraîche légère

sel et poivre

2 cuil. à soupe de ciboulette
fraîche hachée plus 4 brins
de ciboulette fraîche
pour la garniture

30 g de beurre

4 tranches de brioche
légèrement grillées

Œufs brouillés à la ciboulette et brioche grillée

Casser les œufs dans un saladier de taille moyenne et les battre délicatement avec la crème. Saler, poivrer et ajouter la ciboulette hachée.

Faire fondre le beurre à feu moyen dans une casserole antiadhésive. Ajouter les œufs et faire cuire en remuant doucement avec une cuillère en bois 5 à 6 minutes ou jusqu'à ce que les œufs soient un peu fermes.

Disposer les tranches de brioche sur deux assiettes. Ajouter les œufs brouillés. Décorer avec quelques brins de ciboulette et servir immédiatement.

Pour 6 personnes

55 g de beurre
+ un peu de beurre
pour les moules

45 g de farine

170 ml de lait

260 g de ricotta

4 jaunes d'œufs

2 cuil. à soupe de persil frais
finement haché

2 cuil. à soupe de thym frais
finement haché

1 cuil. à soupe de romarin
frais finement haché

sel et poivre

6 blancs d'œufs

250 ml de crème fraîche
légère

6 cuil. à soupe
de parmesan râpé

champignons de Paris sautés
pour la garniture

Soufflé au fromage aux fines herbes et champignons sautés

Préchauffer le four à 180 °C (th. 6). Enduire de beurre fondu six moules à soufflé de 9 cm de diamètre. Faire fondre le beurre dans une casserole. Ajouter la farine et faire cuire 30 secondes sans cesser de remuer. Incorporer le lait avec un fouet et continuer à battre la préparation sur feu doux jusqu'à ce qu'elle épaississe. Faire cuire 30 secondes de plus. Ôter du feu. Incorporer la ricotta. Ajouter les jaunes d'œufs et les fines herbes. Saler et poivrer.

Monter les blancs en neige dans un saladier puis les incorporer délicatement à la préparation. Remplir les moules à soufflé, les poser dans la lèchefrite remplie d'eau bouillante jusqu'à mi-hauteur des moules. Enfourner 15 à 20 minutes ou jusqu'à ce que les soufflés soient gonflés et dorés. Sortir la lèchefrite du four. Laisser refroidir 10 minutes. Démouler les soufflés, les disposer sur un plat allant au four légèrement graissé et couvrir de film alimentaire.

Régler le four sur 200 °C (th. 7). Ôter le film alimentaire. Verser la crème sur les soufflés, parsemer de parmesan et remettre au four 15 minutes. Servir immédiatement, avec des champignons sautés.

Pour 4 personnes

8 œufs

85 ml de crème fraîche légère

2 cuil. à soupe d'aneth frais
haché + 8 brins d'aneth
pour la garniture

sel et poivre

100 g de saumon fumé
coupé en petits morceaux

30 g de beurre

tranches de pain complet
grillées

Œufs brouillés au saumon fumé

Battre ensemble dans un grand saladier les œufs, la crème et l'aneth. Saler et poivrer. Ajouter le saumon fumé et mélanger les ingrédients.

Faire fondre le beurre dans une grande poêle antiadhésive. Ajouter le mélange d'œufs et de saumon. Avec une spatule en bois, détacher délicatement les œufs des bords de la poêle au fur et à mesure qu'ils cuisent et faire pivoter la poêle pour qu'une partie des œufs encore liquides vienne couvrir la surface ainsi dégagée.

Verser les œufs cuits mais encore crémeux sur le pain grillé. Garnir d'un brin d'aneth et servir immédiatement.

Pour 6 personnes

150 g de feta émiettée

260 g de ricotta

150 g de saumon fumé
coupé en dés

2 cuil. à soupe
d'aneth frais haché

2 cuil. à soupe de ciboulette
fraîche hachée

sel et poivre

12 feuilles de pâte filo

100 g de beurre fondu
+ du beurre
pour la plaque de cuisson

4 cuil. à soupe de chapelure

6 cuil. à café de graines
de fenouil

Rouleau au saumon fumé à la feta et à l'aneth

Préchauffer le four à 180 °C (th. 6). Graisser légèrement la plaque de cuisson. Dans un grand saladier, mélanger la feta, la ricotta, le saumon, l'aneth et la ciboulette. Saler et poivrer.

Étaler une feuille de pâte filo sur le plan de travail et, avec un pinceau, l'enduire généreusement de beurre fondu. Parsemer de deux cuillerées à café de chapelure et couvrir d'une seconde feuille de pâte. Enduire de beurre et étaler deux cuillerées à soupe bombées de garniture sur l'un des bords de la feuille. Rouler la feuille en repliant ses côtés pour retenir la préparation et former un rouleau bien net. Poser le rouleau sur la plaque de cuisson et le beurrer avec un pinceau. Parsemer d'une cuillerée à café de graines de fenouil. Répéter pour avoir six rouleaux.

Faire cuire 25 à 30 minutes ou jusqu'à ce que la pâte soit dorée. Servir chaud.

Pour 2 à 4 personnes

115 g de crevettes
décortiquées,
dégelées si surgelées

4 échalotes hachées

55 g de courgettes râpées

4 œufs, jaunes séparés
des blancs

un soupçon de sauce Tabasco

3 cuil. à soupe de lait

sel et poivre

1 cuil. à soupe d'huile
végétale

Omelette aux crevettes

Tamponner les crevettes avec des feuilles de papier absorbant. Dans un saladier, mélanger les crevettes, les échalotes et les courgettes.

Avec une fourchette, battre ensemble dans un autre saladier les jaunes d'œufs, la sauce Tabasco, le lait, du sel et du poivre.

Au mixeur ou au fouet, monter les blancs d'œufs en neige. Incorporer délicatement les jaunes d'œufs aux blancs, en veillant à ne pas faire retomber ces derniers. Astuce : glisser les blancs d'œufs dans un nouveau récipient afin d'éviter qu'ils ne retombent lors de l'incorporation.

Faire chauffer l'huile dans une grande poêle antiadhésive allant au four. Une fois l'huile chaude, ajouter la préparation. Faire cuire à feu doux 4 à 6 minutes ou jusqu'à ce que l'omelette soit légèrement ferme. Pendant ce temps, préchauffer le gril du four.

Verser le mélange aux crevettes sur les œufs. Parsemer de fromage et faire cuire sous le gril 2 à 3 minutes ou jusqu'à ce que l'omelette soit cuite et dorée. Couper en parts et servir immédiatement.

Pour 12 pièces

beurre pour le moule

500 g de pâte brisée

farine pour le plan de travail

2 cuil. à soupe de moutarde
à l'ancienne

12 tranches de bacon maigre
coupées en dés,
cuites et égouttées

12 petits œufs

poivre

130 g de cheddar râpé

2 cuil. à soupe
de persil frais haché

Tartelette au bacon aux œufs et au cheddar

Préchauffer le four à 180 degrés (th. 6). Graisser légèrement un moule à muffins permettant de confectionner douze muffins.

Fariner le plan de travail, étaler la pâte jusqu'à ce qu'elle fasse 5 mm d'épaisseur et découper à l'intérieur douze disques d'environ 13 cm de diamètre. Placer un disque de pâte dans chaque creux du moule, en plissant ses bords de manière à former des fonds de tarte réguliers. Mettre une demi-cuillerée à café de moutarde et un peu de bacon sur chaque fond de tartelette.

Casser un œuf dans une tasse. Avec une cuillère, mettre le jaune d'œuf dans une des tartelettes et ajouter suffisamment de blanc pour la remplir aux deux tiers. Répéter pour les onze autres tartelettes. Saler, poivrer et saupoudrer de fromage râpé. Enfourner 20 à 25 minutes ou jusqu'à ce que les œufs soient cuits et le fromage doré. Servir chaud, parsemé de persil haché.

Pour 6 personnes

2 poivrons rouges
coupés en deux et épépinés

2 petits chorizos
coupés en dés

1 cuil. à soupe d'huile d'olive
vierge extra

2 pommes de terre
pelées et coupées en dés

1 poignée de feuilles
de basilic frais déchiquetées

6 gros œufs
légèrement battus

6 cuil. à soupe de Manchego
(fromage de brebis
à pâte dure) râpé

sel et poivre

Tortilla au poivron et au chorizo

Préchauffer le four à 200 °C (th. 6-7). Poser les moitiés de poivron rouge sur une plaque de cuisson chemisée et enfourner 15 minutes ou jusqu'à ce que leur peau soit noire. Ôter la plaque du four, couvrir avec un torchon et laisser refroidir. Une fois les poivrons froids, ôter leur peau et couper leur chair en dés.

Pendant la cuisson des poivrons, faire cuire les dés de chorizo dans une poêle antiadhésive de 30 cm de diamètre jusqu'à ce qu'ils soient bruns et dégraissés. Égoutter le chorizo sur du papier absorbant. Nettoyer la poêle, y faire chauffer l'huile et y cuire les dés de pommes de terre 5 minutes ou jusqu'à ce qu'ils soient tendres et dorés. Remettre le chorizo dans la poêle et ajouter les dés de poivron et le basilic.

Mélanger les œufs et le fromage râpé. Saler et poivrer. Verser le mélange dans la poêle et répartir régulièrement les ingrédients avec une cuillère en bois. Faire cuire quelques minutes à feu doux pour que les œufs commencent à prendre puis placer la poêle sous le gril du four pour faire dorer la tortilla. Faire glisser la tortilla sur une assiette. Couper en parts et servir.

Pour 4 personnes

8 tranches de bacon maigre

4 petites tomates
coupées en deux

4 œufs

3 cuil. à soupe de lait

sel et poivre

1 cuil. à soupe de ciboulette
fraîche hachée

15 g de beurre doux

Œufs brouillés
au bacon et aux tomates

Préchauffer le gril du four à une température élevée et couvrir
la grille de papier aluminium. Disposer le bacon sur le papier
aluminium et le faire cuire sous le gril 3 à 4 minutes de chaque
côté ou jusqu'à ce qu'il soit croustillant. Environ 3 minutes
avant la fin de la cuisson, ajouter les tomates, côté coupé
vers le haut.

Pendant ce temps, battre ensemble les œufs et le lait
dans un saladier. Saler, poivrer et incorporer la ciboulette.

Faire fondre le beurre à feu moyen dans une casserole
antiadhésive. Ajouter les œufs et faire cuire en remuant
doucement avec une cuillère en bois 5 à 6 minutes
ou jusqu'à ce que les œufs soient légèrement fermes.

Disposer les œufs brouillés, le bacon et les moitiés de tomates
dans des assiettes et servir immédiatement.

Délices sucrés

Pour 12 pièces

175 g de farine ménagère

2 cuil. à café
de levure chimique

½ cuil. à café de sel

2 cuil. à café
de sucre en poudre

2 œufs, jaunes séparés
des blancs

250 ml de lait

85 g de beurre fondu

100 g de beurre
coupé en morceaux

3 cuil. à soupe de sirop
de mélasse

3 grosses bananes mûres
pelées et coupées
en rondelles épaisses

Gaufre
et banane caramélisée

Mélanger dans un saladier la farine, la levure, le sel et le sucre.
Dans un autre saladier, battre ensemble avec une fourchette
les jaunes d'œufs, le lait et le beurre fondu. Verser la préparation
sur les ingrédients secs et mélanger jusqu'à obtention
d'une pâte lisse.

Dans le bol du mixeur, monter les blancs en neige. Incorporer
les blancs d'œufs à la pâte. Déposer deux cuillerées
à soupe bombées de pâte dans un moule à gaufre préchauffé
et faire cuire en suivant les instructions du fabricant.

Pour caraméliser les rondelles de banane, mettre le beurre
et le sirop dans une casserole et faire chauffer à feu doux
en remuant pour bien les mélanger. Laisser mijoter
quelques minutes jusqu'à ce que le caramel épaississe
et fonce légèrement. Ajouter les rondelles de banane
et remuer délicatement pour les enduire de caramel.
Verser sur les gaufres chaudes et servir immédiatement.

Pour 18 pièces

200 g de farine avec la levure
incorporée

100 g de sucre en poudre

1 cuil. à café de cannelle
moulue

1 œuf

200 ml de lait

2 pommes pelées et râpées

15 g de beurre

Nappage

85 g de beurre

3 cuil. à soupe de sirop
d'érable

Galette aux pommes et au beurre de sirop d'érable

Mélanger dans un saladier la farine, le sucre et la cannelle
et faire un puits au milieu. Battre ensemble l'œuf et le lait
et les verser dans le puits. Avec une cuillère en bois, remuer
délicatement pour mélanger les ingrédients secs et liquides
puis incorporer les pommes râpées.

Faire fondre le beurre à feu doux dans une grande poêle
antiadhésive jusqu'à ébullition. Avec une cuillère à soupe, verser
la pâte dans la poêle pour y former dix-huit galettes de 9 cm
de diamètre. Faire cuire chaque galette environ 1 minute
jusqu'à ce qu'elle commence à faire des bulles puis la retourner
et cuire l'autre côté 30 secondes ou jusqu'à ce qu'il soit brun
doré. Si nécessaire, augmenter un peu le feu. Réserver
les galettes au chaud. Répéter, sans ajouter de beurre.

Pour le nappage, mettre le beurre et le sirop d'érable
dans une casserole et cuire à feu doux en remuant
pour obtenir un mélange homogène. Disposer les galettes
dans des assiettes, napper de beurre aromatisé au sirop d'érable
et servir chaud.

Pour 10 à 12 pièces

130 g de farine ménagère

30 g de sucre en poudre

2 cuil. à café
de levure chimique

½ cuil. à café de sel

250 ml de babeurre
(ou petit-lait)

45 g de beurre doux

1 gros œuf

140 g de myrtilles fraîches
+ quelques myrtilles
pour la garniture

huile végétale pour la poêle

beurre

sirop d'érable chaud

Galette aux myrtilles

Préchauffer le four à 140 °C (th. 5). Dans un grand saladier, mélanger la farine, le sucre, la levure et le sel, et former un puits au centre.

Mélanger dans un petit saladier le babeurre, le beurre et l'œuf. Verser la préparation dans le puits et remuer pour incorporer progressivement les ingrédients secs aux liquides jusqu'à obtention d'une pâte lisse. Incorporer délicatement les myrtilles.

Faire chauffer une grande poêle à feu moyen jusqu'à ce que des gouttes d'eau jetées dedans y grésillent. Huiler la poêle avec un pinceau à pâtisserie ou du papier absorbant.

Étaler dans la poêle quatre cuillerées à soupe de pâte pour former quatre galettes de 10 cm de diamètre. Faire cuire jusqu'à ce que des petites bulles se forment à la surface des galettes puis les retourner avec une spatule. Cuire l'autre côté 1 à 2 minutes ou jusqu'à ce qu'il soit doré.

Réserver les galettes au chaud, sur une assiette placée dans le four. Huiler de nouveau la poêle et cuire jusqu'à épuisement de la pâte. Placer du papier sulfurisé entre chaque couche de galettes.

Servir les galettes empilées, surmontées d'un morceau de beurre, arrosées de sirop d'érable et garnies de myrtilles.

Pour 8 à 10 pièces

115 g de farine

25 g de cacao non sucré

1 pincée de sel

1 œuf

30 g de sucre en poudre

375 ml de lait

30 g de beurre doux

sucre glace

glace ou crème anglaise

Garniture

150 g de mûres

150 g de myrtilles

225 g de framboises fraîches

60 g de sucre en poudre

jus de ½ citron

½ cuil. à café de toute-épice
ou de piment de Jamaïque
(facultatif)

Crêpe au chocolat et aux fruits

Préchauffer le four à 140 °C (th. 5). Mélanger dans un grand saladier la farine, le cacao et le sel, et former un puits au centre.

Battre ensemble, dans un autre saladier, l'œuf, le sucre et la moitié du lait. Verser dans le puits et remuer pour mélanger jusqu'à obtention d'une pâte lisse. Incorporer graduellement le reste du lait et verser dans un pichet.

Faire chauffer à feu moyen une poêle antiadhésive de 18 cm de diamètre et ajouter une noisette de beurre.

Une fois le beurre fondu, répartir la pâte sur le fond de la poêle de manière à former une crêpe fine et régulière. Laisser cuire 30 secondes. Soulever le bord de la crêpe pour voir si le dessous est cuit. Détacher les bords de la crêpe et la retourner, avec une spatule. Faire cuire l'autre côté jusqu'à ce qu'il soit doré.

Réserver la crêpe au chaud dans le four préchauffé. Cuire ainsi et empiler toutes les autres crêpes en les séparant avec du papier sulfurisé.

Pour la garniture, mettre les fruits dans une casserole avec le sucre, le jus de citron et éventuellement le toute-épice. Faire cuire à feu doux. Veiller à ne pas trop cuire les fruits.

Étaler une crêpe sur une assiette chaude. Déposer un peu de fruits cuits au centre de la crêpe, la rouler ou la plier et saupoudrer de sucre glace. Répéter avec les autres crêpes. Servir avec une boule de glace ou de la crème anglaise.

Pour 4 personnes

4 œufs entiers
et 1 blanc d'œuf

¼ de cuil. à café de cannelle
moulue

¼ de cuil. à café
de toute-épice ou de piment
de la Jamaïque

100 g de sucre en poudre

60 ml de jus d'orange
fraîchement pressé

300 g de fruits rouges
comme les fraises,
les framboises
et les myrtilles,
préparés et équeutés

4 tranches épaisses
de pain blanc

1 cuil. à soupe
de beurre doux fondu

menthe fraîche
pour la décoration

Pain perdu
aux fruits rouges

Préchauffer le four à 220 °C (th. 8). Mettre les œufs et le blanc d'œuf supplémentaire dans un saladier et les battre avec une fourchette. Ajouter la cannelle et le toute-épice. Mélanger soigneusement.

Mettre le sucre et le jus d'orange dans une casserole et chauffer à feu doux jusqu'à ébullition sans cesser de remuer, jusqu'à ce que le sucre soit dissous. Ajouter les fruits, ôter du feu et laisser refroidir 10 minutes.

Entre-temps, faire tremper les tranches de pain dans les œufs battus environ 1 minute de chaque côté. Enduire de beurre fondu une grande plaque de cuisson et poser les tranches de pain dessus. Enfourner 5 à 7 minutes ou jusqu'à ce que le pain soit légèrement doré. Retourner les tranches et les faire cuire 2 à 3 minutes de plus. Servir avec les fruits et un brin de menthe.

Pour 8 pièces

135 g de beurre pommade
+ du beurre pour le moule

110 g de sucre en poudre

50 g de sucre brun

3 œufs

1 cuil. à café d'extrait
de vanille

3 grosses bananes mûres

210 g de farine contenant
de la levure

1 pincée de noix muscade
fraîchement moulue

1 cuil. à café de cannelle
moulue

mascarpone ou yaourt
nature

sucre glace (facultatif)

Fraises

100 g de sucre brun

jus de 2 oranges

zeste de 1 orange

1 bâtonnet de cannelle

400 g de fraises fraîches
équeutées et coupées
en deux

Gâteau à la banane, fraises cuites et mascarpone

Préchauffer le four à 180 °C (th. 6). Graisser un moule à cake de 23 x 11 cm et couvrir son fond de papier sulfurisé.

Battre ensemble le beurre et le sucre dans un saladier jusqu'à obtention d'un mélange léger et aéré. Incorporer les œufs un à un, puis l'extrait de vanille. Peler les bananes, les écraser avec une fourchette et les incorporer à la préparation. Ajouter la farine, la pincée de noix muscade et la cannelle et mélanger jusqu'à obtention d'une pâte homogène.

Verser la pâte dans le moule et cuire 1 h 15. Pour savoir si le gâteau est cuit, planter une lame de couteau au milieu, cette dernière doit en ressortir propre. Attendre 5 minutes et démouler le gâteau sur une grille.

Pour cuire les fraises, mettre le sucre, le jus et le zeste d'une orange et le bâtonnet de cannelle dans une casserole. Porter à ébullition. Ajouter les fraises et porter de nouveau à ébullition. Ôter du feu, verser dans un plat supportant la chaleur et laisser refroidir. Ôter la cannelle. Couper des tranches de gâteau et les servir avec une cuillerée de mascarpone ou de yaourt et des fraises cuites, chaudes ou froides. Éventuellement, saupoudrer de sucre glace.

Pour 8 pièces

310 g de farine
avec de la levure incorporée

1 pincée de sel

30 g de sucre en poudre

1 cuil. à café de cannelle
moulue

100 g de beurre fondu
+ du beurre pour le moule

2 jaunes d'œufs

250 ml de lait
+ du lait pour le glaçage

Garniture

1 cuil. à café de cannelle
moulue

50 g de sucre brun

30 g de sucre en poudre

15 g de beurre fondu

Glaçage

100 g de sucre glace

30 g de fromage frais

15 g de beurre pommade

environ 2 cuil. à soupe d'eau
bouillante

1 cuil. à café
d'extrait de vanille

Petit pain à la cannelle

Préchauffer le four à 180 °C (th. 6). Graisser un moule rond
de 20 cm de diamètre et couvrir son fond de papier sulfurisé.

Dans un saladier, mélanger la farine, le sel, le sucre en poudre
et la cannelle. Battre le beurre avec les jaunes d'œufs et le lait
et incorporer le mélange aux ingrédients secs jusqu'à obtention
d'une pâte moelleuse. Étaler la pâte sur du papier sulfurisé
saupoudré de farine pour former un rectangle de 30 x 25 cm.

Mélanger les ingrédients de la garniture. Étaler la préparation
sur la pâte et rouler cette dernière. Avec un couteau tranchant,
couper le rouleau en huit tranches régulières et les disposer
dans le moule. Avec un pinceau, enduire les petits pains de lait.
Enfourner 30 à 35 minutes ou jusqu'à ce que les pains soient
dorés. Sortir du four, laisser refroidir 5 minutes et démouler.

Tamiser le sucre glace au-dessus d'un saladier et former
un puits au centre. Ajouter le fromage, le beurre et l'eau
bouillante et mélanger les ingrédients. Ajouter de l'eau
bouillante goutte à goutte jusqu'à ce que le glaçage adhère
au dos de la cuillère. Incorporer l'extrait de vanille.
Décorer les petits pains. Servir chaud ou froid.

Pour 12 pièces

500 g de farine blanche
+ un peu pour le plan
de travail

50 g de sucre en poudre

1 cuil. à café de sel

2 cuil. à café de levure
de boulanger

400 ml de lait chaud

300 g de beurre pommade
+ un peu pour le plat

1 œuf légèrement battu
avec 1 cuil. à soupe de lait
pour le glaçage

Croissants maison

Préchauffer le four à 200 °C (th. 7). Mélanger les ingrédients secs dans un saladier et former un puits. Incorporer le lait jusqu'à obtention d'une pâte lisse. Pétrir la pâte 5 à 10 minutes sur un plan de travail fariné ou jusqu'à ce qu'elle soit souple. Mettre la pâte dans un grand saladier beurré. Couvrir et laisser doubler de volume dans un endroit chaud. Pendant ce temps, étaler le beurre sur 5 mm d'épaisseur entre deux feuilles de papier sulfurisé et le mettre au réfrigérateur.

Sortir le beurre du réfrigérateur. Pétrir la pâte 1 minute et l'étaler sur un plan de travail fariné pour former un rectangle de 46 x 15 cm. Poser le beurre au centre, replier les angles gauche, droit, supérieur et inférieur du rectangle sur le beurre. Tourner la pâte d'un quart de tour dans le sens des aiguilles d'une montre. Étaler et plier de nouveau la pâte. Répéter l'ensemble du pliage deux fois supplémentaires. Si le beurre devient trop mou, envelopper la pâte dans du film alimentaire et la mettre au frais. Diviser la pâte en deux. Étaler chaque moitié pour former deux triangles de 5 mm d'épaisseur. Couper les croissants à l'aide d'un gabarit en carton mesurant 18 cm à la base et 20 cm de chaque côté.

Enduire les triangles de glaçage puis les rouler en commençant par leur base et en plaçant leur pointe dessous pour les empêcher de se dérouler. Enduire de nouveau de glaçage. Placer les croissants sur une plaque de cuisson non graissée. Laisser la pâte doubler de volume. Cuire 15 à 20 minutes ou jusqu'à ce que les croissants soient dorés.

Pour 5 bocaux de 450 g

1,6 kg de fraises fraîches

3 cuil. à soupe
de jus de citron

1,3 kg de sucre à confiture

paraffine à confiture

Confiture de fraises

Préchauffer le four à 180 °C (th. 6). Laver soigneusement cinq bocaux de 450 g à couvercle qui se visse.

Laver et équeuter les fraises et les mettre dans une grande casserole, en éliminant celles qui sont trop mûres. Ajouter le jus de citron et chauffer à feu doux jusqu'à ce que les fraises commencent à donner du jus. Faire mijoter à feu doux 10 à 15 minutes pour que les fruits soient tendres.

Ajouter le sucre et remuer jusqu'à ce qu'il soit dissous. Porter à ébullition et faire bouillir 2 à 3 minutes. Vérifier la température avec un thermomètre à sucre ou déposer une cuillerée à café de confiture sur une soucoupe froide, la mettre au réfrigérateur puis la pousser avec un doigt. Si sa surface se ride, c'est qu'elle est cuite. Dans le cas contraire, faire bouillir 1 minute de plus et répéter l'opération.

Ôter la casserole du feu et laisser refroidir 15 à 20 minutes pour éviter que la confiture augmente de volume une fois en bocal. Écumer si nécessaire. Pendant ce temps, chauffer les bocaux dans le four. Sortir les bocaux du four et les remplir à l'aide d'une louche et d'un entonnoir à confiture. Couvrir de 1,5 cm de paraffine à confiture fondue selon le mode d'emploi, et fermer soigneusement les bocaux. Laisser refroidir les bocaux, les étiqueter et les dater.

Stocker dans un endroit frais et sec. Une fois ouvert, conserver chaque bocal au réfrigérateur.

Pour 10 pièces

250 g de farine complète
avec la levure incorporée

2 cuil. à café de levure
chimique

2 cuil. à soupe de sucre brun

80 g d'abricots secs
finement hachés

1 banane écrasée mélangée
avec 1 cuil. à soupe
de jus d'orange

1 cuil. à café de zeste
d'orange finement râpé

310 ml de lait écrémé

1 gros œuf battu

3 cuil. à soupe d'huile
végétale

2 cuil. à soupe
de flocons d'avoine

confiture, miel
ou sirop d'érable

Muffin aux fruits

Préchauffer le four à 200 °C (th. 7). Mettre dix caissettes
de papier dans les creux d'un moule à muffins. Mélanger
la farine et la levure dans un saladier. Incorporer le sucre
et les abricots secs.

Former un puits. Ajouter la banane écrasée, le zeste d'orange,
le lait, l'œuf battu et l'huile et mélanger jusqu'à obtention
d'une pâte épaisse. Répartir la préparation dans les caissettes
en papier.

Parsemer de flocons d'avoine et enfourner 25 à 30 minutes,
jusqu'à ce que les muffins soient gonflés et fermes
ou bien planter une lame de couteau au milieu
de chaque muffin, cette dernière doit en ressortir propre.

Sortir les muffins du four et les laisser refroidir légèrement
sur une grille. Servir chaud, avec un peu de confiture,
de miel ou de sirop d'érable.